Lili B Brown MYSTÈRE

Le voleur de fraises

TOME 4

Lili B Brown MYSTÈRE

Le voleur de fraises

TOME 4

Texte : Sally Rippin
Illustrations : Aki Fukuoka
Traduction : Geneviève Rouleau

EH Héritage jeunesse

Chapitre un

En ce beau samedi
après-midi, Lili B Brown
se rend chez son amie Mika.
Lili et ses camarades ont
une toute nouvelle énigme
à résoudre. La maman de
Mika, madame Okinawa,

1

possède un magnifique
talus de fraises.

Il y a deux jours, les plantes
regorgeaient de petits fruits
bien rouges, mais en
revenant du travail, hier,
madame Okinawa a constaté
que tous ses fruits avaient
disparu. Il n'en restait plus
un seul! Le plus étrange est
que le grillage qu'elle avait
soigneusement placé autour

de ses plants de fraises n'a pas été touché.

Qui ou quoi peut bien avoir volé les fraises de madame Okinawa ? C'est tout un mystère !

Le Club Secret Énigmes et Mystères est déterminé à découvrir la vérité.

Une réunion du CSÉM
a donc été organisée chez
Mika pour tenter de trouver
des indices. La maman de Lili
y amène sa fille et Thomas
en voiture. Ils arrivent devant
la maison.

«À tantôt, maman!» dit Lili,
en descendant de l'auto avec
Thomas. Au même moment,
Alex sort de la voiture
de ses parents. Les trois amis

se dirigent vers la porte
d'entrée.

Lili murmure joyeusement
à Thomas et à Alex : « C'est
merveilleux ! Nous avons
déjà un nouveau mystère
à percer ! Nous sommes
certainement les espions les
plus occupés du voisinage ! »

« Les détectives, Lili, tu te
souviens ? corrige Alex en

levant les yeux au ciel.
Les espions sont comme
James Bond. Les détectives,
eux, percent les mystères.»

«C'est la même chose,
conclut Lili dans
un haussement d'épaules.
Elle sonne à la porte.

Alex se préoccupe parfois
des détails les plus insignifiants,
pense-t-elle.

Mika ouvre la porte. «Vous êtes enfin arrivés! J'ai tenté d'éloigner ma mère du talus de fraises tout l'avant-midi», explique-t-elle en menant Lili, Alex et Thomas vers la cour arrière. «Il ne fallait pas qu'elle brouille les pistes.»

«Bonne idée, dit Alex, le plus sérieusement du monde. Soupçonne-t-elle quelqu'un en particulier? A-t-elle par

8

exemple des ennemis?
Quelqu'un qui voudrait lui
faire payer quelque chose?»

Lili s'esclaffe. «Alex,
tu regardes trop la télévision.
Ce sont les fraises de madame
Okinawa qui ont disparu.
Pas ses bijoux!»

Alex rougit et Lili s'en veut
de l'avoir taquiné. «Mais ce
sont de bonnes idées! dit-elle

rapidement, pour l'apaiser
un peu, même si, de
son côté, il n'hésite pas à
la taquiner quand elle mêle
«espions» et «détectives».

«Non, que je sache, elle n'a
pas d'ennemi, dit Mika.
Maman s'entend bien
avec tous les voisins.»

Pour se rendre dans la cour,
Mika fait passer ses amis par

le salon. Lili admire les objets
que madame Okinawa
y expose.

Lili aime beaucoup visiter
la maison de Mika qui est
comme un véritable coffre
à trésors japonais avec ses
petites poupées de porcelaine,
ses assiettes peintes à la main,
ses délicates tasses à thé
et ses magnifiques peintures
de cerisiers en fleurs.

Mika vit seule avec sa mère.
Il n'y a donc personne
d'autre pour briser tous
ces beaux et fragiles objets.

En voyant cela, Lili se dit
que les petites poupées
de porcelaine n'auraient pas
une vie bien longue avec
Noah dans les alentours !

Madame Okinawa est assise
à la table de cuisine et

travaille à son ordinateur.

«Bonjour les enfants! lance-
t-elle en les voyant passer.

«Bonjour, Madame
Okinawa», répondent-ils.

«Nous allons jouer dehors»,
dit Mika à sa mère.

Ils ont tous promis de ne dire
à personne ce qu'ils ont
l'intention de faire.

Tout ce que fait le Club
Secret Énigmes et Mystères
doit demeurer très secret!

«D'accord. Revenez un peu
plus tard et je vous préparerai
une collation» dit madame
Okinawa en souriant.
«Merci, Madame Okinawa!»
répond **joyeusement** Lili.
Elle aime beaucoup
les collations que prépare
la maman de Mika.

Elles sont toujours très
sucrées et présentées dans
de jolis petits paquets raffinés.

Mika ouvre la porte
qui donne sur le jardin.
Lili soupire d'envie.

Le sien ne comprend
qu'un parterre inégal,
un potager et quelques
poules au fond de la cour.

Le jardin de Mika ressemble
à un paradis de conte de fées.

Ils avancent sur un sentier
de galets blancs, entre
des érables japonais et
des cerisiers fleuris,
et longent un petit étang.
Au moment de leur passage,
un énorme poisson surgit
à la surface de l'eau en
ouvrant la gueule, comme
pour les saluer.

Lili éclate de rire.

Bientôt, ils atteignent le talus
de fraises que madame
Okinawa cultive près de
la clôture, au fond du jardin.

«La scène de crime!»
lance Thomas, d'un air
dramatique, portant
son poing à sa poitrine.
Les quatre amis rient à gorge
déployée.

Lili sort ses outils de détective
de son sac à dos. Le premier
est son calepin secret muni
d'une véritable serrure
et d'une clé. Le deuxième
est une loupe.

La dernière chose est
un appareil photo prêté par
son père. Lili prévoit prendre
de nombreuses photos
de la scène de crime pour
pouvoir les analyser plus tard.

Alex a apporté son
magnétophone numérique.
Il le sort de sa poche
et le met en marche.
D'une voix profonde,
il annonce : « Le dernier
mystère du Club Secret
Énigmes et Mystères.
Qui a volé les fraises
de madame Okinawa ? ».
Il avance la main devant lui,
paume vers le bas.

Les autres posent leur main
sur la sienne et crient
«Cocorico!» dans
le magnétophone.

Alex fait jouer
l'enregistrement et les quatre
amis éclatent de **rire**. Lili rit
le plus fort. Elle n'a jamais
eu autant de plaisir qu'avec
le Club Secret Énigmes
et Mystères!

Chapitre deux

La loupe collée à l'œil, Lili
analyse soigneusement
le grillage disposé sur le talus
de fraises. Il est soutenu
dans le haut par un cadre de
bambou et fixé solidement
au sol, autour des plants.

«Mmm. Je ne vois pas
de trou dans le grillage»,
murmure-t-elle. Elle le note
dans son calepin.

«Est-ce que je peux
t'emprunter la loupe?
demande Thomas. Je n'ai pas
encore eu la chance
de l'utiliser.»

«Bien sûr», fait Lili en la lui
tendant.

Elle sort l'appareil photo
de son étui et commence
à prendre des photos du talus
de fraises.

Mika et Alex rampent autour
du talus, à la recherche
d'indices.

«Hé! regardez!» lance Mika.

Les autres accourent pour
voir ce qu'elle a trouvé.

Une petite plume marron est emprisonnée dans le grillage. Lili prend une photo.

Thomas scrute la plume à l'aide de la loupe.
«Il ne s'agit pas d'une plume de pie, en tout cas, dit-il. Une telle plume serait noire et blanche.»

«C'est probablement un merle», affirme Alex,

en faisant l'important.
Il est celui qui en sait le plus
sur les oiseaux. Les oiseaux
et les mathématiques sont
ses spécialités.

« Mais, si un oiseau a pris
les fraises, comment a-t-il fait
pour les atteindre ? D'après
la mère de Mika, le grillage
n'aurait pas été touché. »

«C'est vrai, reconnaît Mika, mais son bec est peut-être assez petit pour passer au travers des trous du grillage?»

Thomas passe l'index et le pouce par un trou du grillage.

Il saisit l'une des fraises vertes que le voleur a laissées derrière lui et tente de la sortir par le trou. Il hoche la tête. «Non. Ça ne passe

29

pas, constate-t-il. Mes doigts le peuvent, mais les fraises sont trop grosses.»

«En plus, des oiseaux auraient fait d'importants dégâts autour, fait remarquer Alex. Si un oiseau avait mangé les fraises, on en trouverait beaucoup d'autres remplies de trous de bec.»

«Et il y aurait du caca
d'oiseau», ajoute Lili en riant.
Elle continue de prendre
des photos pendant qu'elle
parle. «Et des cacas partout
sur le grillage.»

«C'est donc une personne,
décide Thomas. Comment
a-t-on pu voler ces fraises
sans déplacer le grillage?
Seule une personne peut

avoir replacé le grillage après l'avoir levé. »

« Je suis d'accord, dit Mika. C'est exactement ce que je pense ! »

« Eh bien, je n'ai aucune idée », laisse tomber Alex en reculant et en retirant ses lunettes pour les nettoyer avec son tee-shirt.

« Comment est-il possible

de découvrir qui a dérobé
les fraises ? Le voleur doit
les avoir déjà toutes mangées
et, comme l'a mentionné
Lili, ce ne sont pas les bijoux
de madame Okinawa qui ont
disparu ! »

« On ne peut pas abandonner !
proteste Mika. Et si cela
se produit de nouveau ? »

«Regardez tous ces petits bébés fraises qui poussent, ajoute-t-elle. Qu'allons-nous faire si quelqu'un décide de les prendre lorsqu'elles seront mûres? Ce n'est pas juste!»

«Mika a raison! dit Lili, en déposant sa main sur l'épaule de son amie. Nous allons trouver le coupable, ne t'en fais pas. Nous devrions commencer par interviewer

les voisins et leur demander
s'ils ont vu quelque chose
ou soupçonnent quelqu'un.»

«On ne peut pas simplement
frapper aux portes et
demander aux gens s'ils ont
vu un voleur de fraises»,
proteste Thomas.

«Pourquoi pas?» demande
Lili.

«Bien, pour commencer,
nous sommes censés être
des agents **secrets**.»

«Et nous ne voulons pas
que le voleur de fraises sache
que nous le recherchons,
ajoute Mika. Nous devons
agir avec prudence.»

«C'est vrai», reconnaît Lili,
en fronçant les sourcils.
Elle se gratte le front.

«J'ai trouvé!» dit-elle
en souriant. Lili a une super
bonne idée. «Nous pourrions
placer dans le voisinage
les affiches sur la protection
de l'environnement que nous
avons fabriquées au cours
d'arts plastiques, qu'en
pensez-vous?»

Les autres opinent de la tête.

«Nous devrions demander
à Henri si on peut en installer
dans son magasin, poursuit-
elle. Et, pendant que nous
y sommes, tenter d'obtenir
d'autres renseignements.
Il connaît tout le monde,
dans le coin.»

«C'est une bonne idée, Lili!
approuve Mika, qui semble
avoir retrouvé sa bonne

humeur. Allons-y demain
après-midi. »

« Oui, d'accord. Dans
l'intervalle, je vais télécharger
les photos cet après-midi
et voir si je peux trouver
d'autres indices » dit Lili,
en tapotant l'appareil photo.
Elle fait un grand sourire
à Mika. « Il ne reste plus
qu'une chose à faire ici. »

« Quoi ? » demande Mika.

« Aller déguster la collation
que ta maman a préparée »,
répond Lili. Parler de fraises
juteuses lui a ouvert l'appétit !

Chapitre trois

Après la visite chez Mika,
Thomas se rend chez Lili.
Les enfants demandent
s'ils peuvent utiliser
l'ordinateur pour télécharger
les photos prises plus tôt.

Lili ferme la porte du bureau
pour empêcher Noah
d'entrer.

Noah est trop petit pour
les histoires de club secret.
La dernière fois qu'elle
l'a laissé entrer alors qu'elle
utilisait l'ordinateur,
il a appuyé sur le bouton
«ARRÊT» et Lili a perdu
tout son document!
Lili adore son petit frère,

mais parfois, il peut être très dérangeant!

Noah pleure de l'autre côté de la porte parce que Thomas et Lili ne le laissent pas entrer.

«Nous aurons bientôt fini, petit curieux. Va jouer avec tes autos.»

Lili se sent un peu coupable, mais elle ne peut pas jouer avec son petit frère tout le temps ! Elle a d'importantes choses à faire !

La maman de Lili finit par emmener Noah jouer dans le salon.

« **Ouf** ! fait Lili. Bien. Au travail maintenant. » Elle branche l'appareil photo

dans l'ordinateur et
télécharge les trente-deux
photos du talus de fraises
de madame Okinawa.

La plupart des photos sont
un peu floues, ce qui n'est pas
très utile, mais heureusement,
quelques-unes sont bonnes.
Lili en sélectionne une.
Il s'agit d'un plan rapproché
du grillage installé au-dessus
des fraises.

«Fais un zoom avant pour voir si certains indices nous ont échappé», demande Thomas. Lili s'exécute, mais ils ne constatent rien d'inhabituel.

«Tu devrais en essayer une autre», propose Thomas.

Lili fait un zoom avant sur chacune des photos. Cela leur demande beaucoup de temps.

Ils analysent attentivement
chaque image, mais à part
les feuilles, le grillage et
la clôture, il n'y a rien à voir.

«Mmm, peut-être n'est-ce
pas très utile, après tout»,
fait remarquer Lili, après
avoir étudié la vingt-septième
photo. Elle commence
à trouver cela ennuyeux.
Le soleil brille et elle a envie
d'aller jouer à l'extérieur.

«Encore quelques-unes»,
insiste Thomas.

«Nous n'avons pas encore vu
celles-là», dit-il en indiquant
avec son doigt les cinq
dernières images.

«D'accord, murmure Lili
en soupirant. Elle ouvre
le fichier d'une nouvelle
photo et hausse les épaules.
«Et puis?»

«Attends! lance Thomas.

Fais un zoom avant ici.

Un peu plus par là.

Cette chose, près de l'arbre,

qu'est-ce que c'est?»

Lili agrandit l'image et

ce qu'elle voit lui coupe

le souffle. Là, tout près

du grillage, se trouve

une trace de pas. Une grosse

empreinte de botte dans

la terre.

«On a dû la manquer! lance Lili, avec enthousiasme. C'est certainement un indice!»

«Tu as sûrement raison! répond Thomas, avec joie. C'est une très grande empreinte!»

Lili opine de la tête. «Bien trop grande pour être celle de madame Okinawa.»

«Ou celle de Mika!»
ajoute Thomas.

Lili imprime la photo
de la grande empreinte
de pied, se tourne vers
Thomas et lui sourit.

«Je pense que lorsque nous
découvrirons à qui appartient
cette empreinte, nous aurons
trouvé notre voleur
de fraises!»

«Cocorico!» font-ils tous deux, avec ardeur. Lili est impatiente de le dire aux autres!

Chapitre quatre

Le lendemain, les membres
du Club Secret Énigmes
et Mystères se réunissent
dans la cabane nichée dans
un pommier du jardin
de Lili. C'est dimanche.
Mika a apporté des biscuits

japonais parce qu'elle sait que
ce sont les préférés de Lili.

Lili prend l'un de ces longs
bâtonnets recouverts
de chocolat et le croque
à la manière des lapins,
pendant que les autres
examinent la photo
de l'empreinte avec intérêt.

Les regards de Lili et Thomas
se croisent. Lili se sent toute

fébrile à l'idée de savoir
ce que Mika et Alex vont dire
au sujet de ce nouvel indice.

«Mmm… c'est effectivement
l'empreinte d'une semelle
de botte masculine», dit Alex.

Il regarde attentivement
à travers la loupe de Lili.
«Et aucun homme ne vit
chez vous, n'est-ce pas,
Mika?»

«Non!» répond Mika
avec assurance. Elle s'empare
de la loupe pour regarder
la photo à son tour.

«Oh, attendez. Il y a Léon.»

«Léon?» répètent-ils
en chœur.

«Il taille les arbres et coupe
la pelouse.» Mika hausse
les épaules. «Il a installé

le grillage au-dessus
des fraises de maman.
Cette empreinte est
probablement la sienne.»

«Quoi?» lance Lili, en
s'étouffant avec son bâtonnet
de chocolat. Thomas semble
déçu, lui aussi. «Eh bien,
c'est peut-être lui, le voleur,
Mika. Il a très bien pu lever
le grillage et le replacer

sans que personne le sache.
Pas vrai?»

Lili et Alex acquiescent
d'un signe de tête.

«Il est allergique aux fraises.
Il me l'a dit pendant qu'il
installait le grillage», dit Mika
en hochant la tête lentement.

«Désolée, les amis. Je pense
que nous devons revenir
à la case départ.»

Lili pousse un long soupir.
Quelle déception!
Elle prend un autre bâtonnet
au chocolat pour se donner
du courage.

Chapitre cinq

Les membres du Club Secret
Énigmes et Mystères
descendent de l'arbre,
déterminés à trouver
de nouveaux indices.

Thomas et Alex ont décidé qu'ils parleraient aux voisins de Mika pour leur demander s'ils avaient vu ou entendu quelque chose d'inhabituel, le soir du vol.

Lili et Mika allaient rendre visite à Henri, dans son magasin de quartier.

Henri doit certainement savoir quelque chose, pense Lili.

Des affiches roulées sous
le bras, Mika et elle se
dirigent vers le magasin.
Henri sait tout de tout
le monde.

Lili ouvre la porte de verre
et une petite cloche se fait
entendre. Henri sort
de l'arrière-boutique,
en s'essuyant les mains
sur son grand tablier sale.

«Hé, les enfants, dit-il de
sa voix grave et bourrue,
que puis-je faire pour vous?»

Lili regarde Mika. Elle rougit
et est devenue muette.
Lili avait oublié que cela
embarrasse parfois Mika
de parler à des gens qu'elle
ne connaît pas très bien.

Lili pense qu'Henri est gentil,
même s'il ne sourit pas

beaucoup et qu'il peut
sembler un peu antipathique.
Elle prend donc rapidement
les devants.

«Euh, nous avons fait
des affiches sur la protection
de l'environnement à l'école,
explique-t-elle. Nous nous
demandions si nous pourrions
en installer une dans
votre vitrine.»

Henry montre le devant
du magasin. «Si je prends
d'autres affiches,
je ne pourrai même plus
voir à travers la vitre!»

Lili et Mika se tournent.
Trop occupées à discuter,
elles n'avaient même pas
remarqué la vitrine.

Elle est déjà remplie d'affiches
sur la protection de

l'environnement. Lili
reconnaît les œuvres
des camarades de sa classe –
et d'autres classes aussi.

«Désolé, les enfants, dit-il.
Vous allez devoir trouver
un autre endroit où
les installer. Il n'y a plus
de place dans ma vitrine.»

Lili soupire. Cette journée
est vraiment remplie
de déceptions!

«Ça va, dit-elle, d'un air
maussade. Merci quand
même, Henri.»

Lili tourne les talons et se
dirige vers la sortie. *J'espère
que Thomas et Alex ont plus de
chance que nous*, pense-t-elle.

«Attends!» La voix que fait entendre Mika est comme un cri. Lili se retourne, surprise, et regarde Mika.

«Oui?» dit Henri, d'un ton brusque. Mika rougit de plus belle, mais elle inspire profondément et poursuit.

«Je, euh, je me demandais qui prépare vos confitures?»

«Pardon?» demande Henri,
perplexe.

«Les confitures de fraises,
sur le comptoir, insiste Mika.
L'étiquette indique
qu'elles sont faites maison.»

Lili sent une grande fierté
l'envahir. *Vas-y, Mika,*
pense-t-elle.

«Oh! C'est Andrée», répond
Henri. Il prend un petit pot
de verre et le fait tourner
dans ses grandes mains sèches.
«Elle a dit qu'elle en avait
tellement fait qu'elle ne
pourrait pas toute la manger.
Elle m'a donc apporté
quelques pots pour que
je les vende.»

«Merci, Henri! dit Mika.
C'est très utile!» Henri

semble encore plus intrigué.
Mika saisit la main de Lili et
les deux petites filles sortent
du magasin en courant.

«Andrée!» s'écrie Mika,
une fois à l'extérieur.
Elles tournent rapidement
le coin où Henri ne peut
les voir. «La sorcière!»

Lili la corrige. «Ce n'est pas
une sorcière, Mika.

Te rappelles-tu, c'est une amie de la mère de Thomas?»

«Mais est-ce qu'elle a un talus de fraises?» demande Mika, dans un sourire suspicieux.

«Mmm. Je ne pense pas», répond Lili en tentant de se souvenir du jardin d'Andrée.

Mika sautille sur place.
«Andrée n'est pas
une sorcière, mais c'est
peut-être une **voleuse**
de fraises!»

«Tu as raison! dit Lili,
toute fébrile. Viens! Allons
retrouver les garçons!»

Chapitre six

Lili et Mika rejoignent les deux garçons un peu plus loin sur la rue.

«Je pense que nous avons trouvé la voleuse!» lance Mika.

«Vraiment? disent
joyeusement Thomas
et Alex. Qui? Qui?»

«Quelqu'un qui fait vraiment
peur…» dit Mika, pour
leur donner un indice.
«Elle vit dans une grande
maison mystérieuse et
a de longs cheveux blancs.»

«Andrée? demande Thomas,
incrédule. Andrée n'est pas
une voleuse.»

«Elle fait de la confiture
de fraises, explique Mika.
En grandes quantités!
Elle en a tellement fait
qu'elle en a donné à Henri
pour qu'il en vende
au magasin. Où crois-tu
qu'elle a pris toutes
ces fraises, hein?»

Mika met ses mains
sur ses hanches pour montrer
que son idée est faite.
« C'est notre voleuse
de fraises. J'en suis certaine ! »

Thomas hoche la tête. « Je ne
crois pas que ce soit Andrée,
murmure-t-il. Elle ne ferait
jamais une chose pareille. »

« Il n'y a qu'une seule façon
d'en avoir le cœur net ! »

84

dit Alex, les yeux brillants
d'enthousiasme.

Mika et lui empruntent
en courant le sentier qui
mène à la grande maison
macabre, au bout de la rue.

Lili regarde Thomas. Tantôt,
elle était aussi contente
que Mika, convaincue
d'avoir identifié la voleuse.
Mais maintenant qu'elle voit

le doute sur le visage
de Thomas, elle n'en est plus
aussi sûre.

« Viens, dit-elle doucement,
en prenant la main
de Thomas. Rejoignons
les autres. »

Les quatre amis arrivent chez
Andrée, un peu essoufflés.
Maintenant qu'ils se trouvent
devant la sinistre maison,

Alex et Mika semblent avoir
perdu un peu de leur courage.

Lili se souvient qu'elle et
Thomas sont les seuls à avoir
déjà pénétré à l'intérieur de
la maison. Alex et Mika en
ont seulement entendu parler.

Thomas passe devant et
frappe à la porte. Ils attendent
calmement, écoutant le bruit
des pas qui avancent dans

le couloir. Andrée ouvre en
clignant des yeux devant tant
de soleil. Elle fait encore plus
peur qu'avant. Aujourd'hui,
elle porte un tablier blanc
dont le devant est rempli
de taches rouges.

Lili pense qu'il n'y a aucune
raison d'avoir peur, mais
Andrée la fait quand même
frissonner un peu.

«Bon, bon, bon! dit Andrée, en souriant. Vous arrivez juste à temps! Je viens de sortir des scones du four pour accompagner ma confiture aux fraises. Entrez! Entrez!»

Mika donne un coup de coude dans les côtes de Lili. «Merci! dit-elle, d'une voix **courageuse**, j'adore la confiture aux fraises!»

Elle passe devant les autres
et suit Andrée dans la maison.
Alors qu'ils avancent dans
le corridor, Lili perçoit
une odeur sucrée provenant
de la cuisine. «Est-ce bien
l'odeur de la confiture?»
demande-t-elle à Andrée.

«Oui! dit Andrée. Mon frère
dirige une fraisière et, hier,
il m'a apporté trois caisses
de fraises bien mûres.»

«Oh!» fait Lili, en jetant
un coup d'œil à Mika.

Andrée ouvre la porte
de la cuisine. Là, sur la table
toute collée, se trouvent
deux caisses vides, couvertes
de taches roses, et une autre
remplie de grosses fraises bien
juteuses.

«Je savais que j'aurais besoin
de beaucoup de fraises pour

faire de la confiture, mais je pense en avoir commandé un peu trop.» Andrée sourit. «J'ai de la confiture de fraises qui me sort par les oreilles et je ne sais pas ce que je vais faire de tout ça. Aimeriez-vous en apporter à la maison, les enfants?»

«Tu vois? murmure Thomas à l'oreille de Mika. Cette dernière regarde par terre.

94

Ses joues sont aussi rouges
que les petits fruits.

Andrée les invite à s'asseoir
autour de la grande table de
bois. « Asseyez-vous, asseyez-
vous, dit-elle. Je vais aller vous
chercher des scones. Ils sont
tout juste sortis du four. »

Un peu découragés, Lili
et ses amis prennent place
autour de la table de cuisine

d'Andrée. Mais ils ne
demeureront pas moroses
bien longtemps. Des scones
frais, surmontés de confiture
de fraises et de crème
ont le pouvoir de réjouir
n'importe qui !

En retournant chez eux
avec des sacs remplis
de fraises et de confiture,
Lili et ses amis discutent
de ce qu'ils feront ensuite.

«Bon, nous avons éliminé les voisins, dit Alex, en comptant les gens sur ses doigts. Personne n'a vu ou entendu quoi que ce soit ce soir-là. De plus, on ne peut accéder au jardin de Mika sans passer par la maison.»

«Et personne ne peut franchir la clôture. Elle est trop haute», ajoute Thomas.

«Ce ne sont pas les oiseaux»,
dit Alex.

«Ou toute autre créature»,
poursuit Thomas.

«Le grillage aurait alors été
déplacé.»

«Cela demeurera peut-être
un mystère non résolu, Mika,
dit doucement Lili, en
déposant sa main sur l'épaule

de son amie. On ne peut trouver de solution à tout.»

«Oui, nous le pouvons, lance Mika, furieuse. Vous abandonnez trop facilement.»

«Vous pensez que des fraises dérobées, ce n'est pas important, que cela ne compte pas. Eh bien, ça compte pour moi! D'autres fraises vont bientôt mûrir et je parie que le voleur **reviendra**. Et cela se répétera encore et encore si nous ne l'attrapons pas. Je pensais que vous étiez mes amis, que nous formions une équipe!» Lili, Alex et Thomas regardent Mika, surpris. Elle sort si rarement de ses gonds.

Mika est toujours la plus tranquille. Elle laisse les autres prendre les initiatives et est

heureuse de suivre
leurs directives.

Lili comprend maintenant
à quel point c'est important
pour Mika. *Nous ne pouvons pas
la laisser tomber*, pense-t-elle.

«Bien, une autre chose peut
être tentée, dit lentement
Lili. Mais cela peut être
effrayant et comporter très
certainement des risques.»

«Qu'est-ce que c'est?»
demandent les autres,
les yeux ronds.

«Nous allons installer
un piège pour attraper
le voleur», répond-elle.

Les autres lancent des cris
de joie. Lili sourit.
C'est elle la plus contente.

Chapitre sept

Le Club Secret Énigmes
et Mystères doit attendre
toute une semaine avant
de pouvoir passer à l'action.
Chaque jour, à l'école,
les amis discutent des détails
sous le grand arbre.

Tous les après-midi, ils se
réunissent dans la cabane de
l'arbre pour revoir leur plan.

Le jour tant attendu arrive
enfin. La maman de Mika
les aide à monter la tente
de Lili dans le jardin,
d'où ils pourront voir
le talus de fraises.

Madame Okinawa est très
heureuse d'accueillir tous

les amis de Mika chez elle, ce soir-là. Mais elle trouve un peu étrange qu'ils souhaitent tous passer la nuit à l'extérieur. Elle ne sait pas que, dans le sac à dos de Lili, se trouve un sac de plastique rempli de fraises bien mûres.

Une fois madame Okinawa rentrée, les quatre amis relèvent les bords du grillage qui protège le talus et

dispersent des fraises parmi
les plants.

Les fruits de madame
Okinawa sont encore pâles
et durs, mais Lili espère que
des fraises mûres inciteront
le voleur à revenir dans
le jardin. S'ils attrapent
le **voleur** ce soir-là,
ils pourront peut-être
épargner la prochaine récolte
de fraises.

109

La dernière chose que fait
Lili avant de se blottir
dans son sac de couchage
pour la nuit est d'attacher
une petite cloche au grillage,
comme celle qui se trouve
sur la porte d'entrée
du magasin d'Henri.
Si quelque chose ou
quelqu'un touche au grillage,
ils entendront la clochette
sonner dans leur tente.

Lili a apporté l'appareil
photo. Si la cloche sonne,
elle sortira le plus vite
possible pour prendre
des photos en se servant
du flash.

Il s'agit d'un plan ingénieux
et les membres du Club
Secret Énigmes et Mystères
sont convaincus qu'ils
pourront attraper leur voleur.

Mais la semaine a été longue
et le travail de détective
est éreintant! Alors qu'ils
discutent dans le noir,
Lili se rend compte,
dans la voix de ses amis,
que le sommeil les gagne.
À tour de rôle, Alex, Thomas
et Mika s'endorment. Lili,
pour sa part, a tous ses sens
en éveil.

Elle a l'impression que
ses oreilles deviennent
de plus en plus grandes
à force d'écouter tous les sons
provenant de l'extérieur.

Elle entend le murmure
du vent dans les feuilles,
le bruissement des oiseaux
dans les arbres, et même
le frétillement des poissons
dans l'étang.

Mais pas de voleur.

Les yeux de Lili piquent
de fatigue. Ses paupières
deviennent aussi lourdes
que des pierres. Et, juste
au moment où elle sent
qu'elle va bientôt dormir,
un son lui fait rouvrir les yeux.

La clochette. Ding, ding!

Le voleur est **revenu**!

Lili s'assoit et saisit
son appareil photo.
Elle relève doucement
le rabat de la tente et le pointe
vers le talus de fraises.

Flash! Flash! Flash! Lili
entend un cri et des bruits
de bagarre, alors que
le voleur tente de s'enfuir.

«Réveillez-vous! Réveillez-
vous! dit-elle aux autres,

en les secouant. Je l'ai !
Il est ici ! Regardez ! »

Lili allume une lampe
de poche pendant que
ses amis se frottent les yeux.
Ils entourent Lili. Elle appuie
sur le bouton de l'appareil
photo pour voir les images
qu'elle a prises.

Le cœur de Lili bat si fort
qu'elle le sent, dans

ses oreilles. La première photo
s'affiche. Ils voient la clôture,
le grand arbre, le talus
de fraises et le grillage.
Et là, brillant dans le noir,
cinq paires d'yeux.

«C'est incroyable!» dit Mika,
le souffle coupé. Les autres
éclatent de rire. Il n'y a pas
un voleur de fraises, mais
cinq! Lili fait un zoom avant
et la photo montre

clairement cinq opossums
bien joufflus en train
de se gaver de fraises.

Chapitre huit

À l'école, le lundi matin, Lili,
Thomas et Alex attendent
Mika, en riant encore
des opossums voleurs
de fraises. Elle arrive au
moment où la cloche sonne

et les quatre amis se dirigent ensemble vers la classe.

«Léon a-t-il réparé le trou de la clôture?» demande Alex.

Mika sourit. «Bien sûr! Maman l'a appelé après votre départ et il a cloué une planche de bois par-dessus. Je ne peux pas croire que ce trou nous ait échappé le premier jour,

quand nous cherchions
des indices. »

« J'imagine que nous n'avons
pas pensé à examiner
la clôture, dit Thomas.
Le grillage était si bien attaché
à cet endroit. Comment
aurions-nous pu imaginer
qu'il y avait un autre accès ? »

« Alors, contente d'avoir
attrapé les voleurs ? » blague

Lili en donnant un petit coup
de coude dans les côtes
de Mika.

Mika hausse les épaules.
«Oui, j'imagine. Mais
maman et moi étions tristes
pour les opossums. Nous
avons laissé quelques cœurs
de pommes près du talus
de fraises. Ils ne sont pas aussi
délicieux que les fraises,
mais au moins, les opossums

auront de quoi nourrir
leurs **bébés**. »

« Un autre mystère résolu !
lance Alex, en entrant
dans la classe. Je me demande
bien ce que sera le prochain. »

« J'espère que nous
n'attendrons pas trop
longtemps, dit joyeusement
Lili. Nous nous améliorons

chaque fois. Je suis déjà prête
à percer un autre mystère!»

Ils tirent leur chaise et
s'assoient à leur pupitre.
Ils poursuivent leur
conversation en attendant
l'arrivée de monsieur
Benetto. Habituellement,
il est déjà là quand les élèves
entrent.

Enfin, il arrive,
le visage assombri.

Lili ne l'a jamais vu dans
cet état. Le reste de la classe
s'en aperçoit aussi et tous
les élèves se taisent.

En colère, monsieur Benetto
dit d'une voix grave :
« Je sors d'une réunion
avec la directrice de l'école
et j'ai une très mauvaise

126

nouvelle à vous annoncer.
Un objet de valeur a été
dérobé dans son bureau
et une personne de l'école
est certainement responsable
de ce méfait. »

Lili sent un frisson parcourir
son corps. Elle jette un coup
d'œil à Thomas, puis à Mika
et à Alex. Elle sait qu'aucun
d'entre eux n'osera lui
répondre du regard de peur

que monsieur Benetto
les remarque, mais elle est
certaine de savoir
ce qu'ils pensent.

Le Club Secret Énigmes
et Mystères a une autre
mission! Ce nouveau mystère
sera peut-être le plus difficile
à résoudre…

À suivre…

Lili B Brown MYSTÈRE

Quelqu'un a dérobé un objet
de valeur dans le bureau
de la directrice de l'école.
Il s'agit d'une affaire que
le CSÉM devra résoudre.

Une prochaine énigme
bientôt disponible

Catalogage avant publication
de Bibliothèque et Archives nationales
du Québec et Bibliothèque
et Archives Canada

Rippin, Sally

Le voleur de fraises
(Lili B Brown ; Mystère)
Traduction de : Strawberry Thief.
Pour enfants de 6 ans et plus.

ISBN 978-2-7625-9636-6

I. Fukuoka, Aki, 1982- . II. Rouleau,
Geneviève, 1960- . III. Titre.
IV. Rippin, Sally. Lili B Brown.

PZ23.R56Fi 2013   j823'.914
C2013-942885-X

Titre original : Billie B Brown
Le voleur de fraises (Strawberry Thief)
publié avec la permission de Hardie
Grant Egmont

Texte © 2014 Sally Rippin
Illustrations © 2014 Aki Fukuoka
Logo et concept © Hardie Grant Egmont
Conception et design de Stephanie Spartels
Le droit moral des auteurs est
ici reconnu et exprimé.

Version française
© Les Éditions Héritage inc. 2015
Traduction de Geneviève Rouleau
Révision de Françoise Robert
Graphisme de Nancy Jacques

Imprimé au Canada

Nous reconnaissons l'aide financière
du gouvernement du Canada
par l'entremise du Fonds du livre
du Canada.

Nous reconnaissons l'aide financière
du gouvernement du Québec
par l'entremise du Programme
de crédit d'impôt – SODEC.

Dépôts légaux : 1ᵉ trimestre 2015
Bibliothèque et Archives
nationales du Québec
Bibliothèque et Archives Canada

Les Éditions Héritage
1101, av. Victoria, Saint-Lambert
(Québec) Canada J4R 1P8
Téléphone : 514 875-0327
Télécopieur : 450 672-5448
information@editionsheritage.com